Dedicado a:

_____

Por:

_____

Fecha:

_____

_____

Fundamentos Bíblicos para un Nuevo Creyente

FUNDAMENTOS BÍBLICOS PARA UN NUEVO CREYENTE

GUILLERMO MALDONADO

Nuestra Visión

Alimentar espiritualmente al pueblo de Dios por medio de enseñanzas, libros y prédicas; y expandir la palabra de Dios a todos los confines de la tierra.

Fundamentos Bíblicos para el Nuevo Creyente

Tercera edición 2006

Publicado en la Librería del Congreso
Certificado de Registración: TX 5-827-082

ISBN: 1-59272-005-6

Portada diseñada por:
ERJ Publicaciones

Categoría:
Fundamentos Bíblicos para un Nuevo Creyente

Publicado por:
ERJ Publicaciones
13651 SW 143 Ct., Suite 101, Miami, FL 33186
Tel: (305) 233-3325 – Fax: (305) 675-5775

Impreso por:
ERJ Publicaciones, EUA
Impreso en Colombia

Dedicatoria

A lo largo de los años que llevo en el ministerio, Dios ha puesto, en mi corazón, una pasión por las almas perdidas. Almas por las cuales Jesús entregó su vida. Personas con las que nuestro Padre anhela compartir la eternidad. Y muchos son los que oyen el mensaje de salvación y lo aceptan, pero después, por falta de conocimiento, no logran crecer y alcanzar las promesas de Dios para ellos, y la plenitud de paz, gozo y poder que Él quiere que tengamos. Es, a estos creyentes, que dedico este libro; para que en él puedan encontrar todas las respuestas a las inquietudes que surgen en su temprano caminar con Cristo. Ruego a Dios que unja y bendiga estas páginas para que logren su propósito.

Agradecimientos

Primeramente, gracias al autor y consumador de mi vida, al que dio la suya para comprar mi salvación. Gracias, Jesús, porque tu misericordia y tu gracia están sobre mi vida. ¡Sin ti nada podría hacer! También, lleguen mis agradecimientos a todos aquellos que han abrazado la visión y trabajan conmigo, día a día, para instruir al nuevo creyente en su camino.

Índice

Introducción

Durante los años que llevo en el ministerio, he tenido la oportunidad de conocer una gran cantidad de personas, que después que conocen al Señor, no saben qué hacer, no saben a dónde ir ni qué pasos tomar para seguir en el camino del Señor. Y esto es lo que me ha llevado a escribir este libro, con la ayuda del Espíritu Santo; cuyo propósito es encaminar al nuevo creyente en los primeros pasos de su vida como cristiano. Yo, también, una vez fui un creyente nuevo, y como tal, sé que uno se hace muchas preguntas, tales como: ¿qué es exactamente la salvación?, ¿por dónde empiezo?, ¿qué espera Dios de mí?, ¿cuáles son mis responsabilidades?, ¿qué puedo hacer y qué no? Y algunas otras preguntas que surgen en nuestro temprano andar cristiano.

Tristemente, hay creyentes que nunca logran un crecimiento espiritual, y una de las razones es que no recibieron un buen fundamento. Y si el fundamento no está firme, el resto del edificio no puede sostenerse, y cualquier viento lo puede derribar.

Mi deseo es que ningún alma se pierda por falta de dirección y conocimiento; por esto, ha sido diseñado este manual, que le será de gran bendición para edificar su vida cristiana y así lograr una vida victoriosa.

Guillermo Maldonado
Pastor

1

La salvación eterna

Existe en el mundo, un sinnúmero de ideas, conceptos, religiones y tradiciones; por medio de las cuales el ser humano rige su vida. Sin embargo, el hombre tiene un vacío espiritual dentro de él, el cual intenta llenar con lo que a su juicio le parece conveniente; trata de satisfacerse con fama, alcohol, droga, sexo, trabajo, dinero, religión y otros. Encuentra que, no importa lo que haga, es imposible llenarlo, porque ese lugar o ese vacío en el corazón del ser humano, solamente puede ser llenado con una relación íntima con Dios.

"Todo lo hizo hermoso a su tiempo y ha puesto eternidad en el corazón de ellos...". Eclesiastés 3.11

Este poquito de eternidad que el Señor ha puesto en el hombre, sólo puede llenarlo algo eterno; es por eso, que las cosas terrenales y materiales no sirven para llenar el vacío del ser humano. Hay personas que piensan que porque creen en Dios, automáticamente son salvos, son hijos de Dios, y van al cielo; pero, en realidad, no es eso lo que la Palabra enseña. La Palabra enseña que, sí, todos somos creación de Dios, pero, no todos somos hijos de Dios.

Entonces, al saber que el hombre tiene un vacío dentro del corazón, que el hombre es pecador por naturaleza, y que es necesario ser hijo e hija de Dios para ir al cielo, ciertas preguntas surgen al respecto: ¿Cómo puedo ser hijo o hija de Dios? ¿Cómo puedo ir al cielo? ¿Cómo puedo llenar el vacío de mi corazón? ¿Cómo puedo encontrar la verdad? La gente se hace estas y otras preguntas que, con la ayuda de Dios, las iré contestando conforme a lo que dice la Biblia, y para esto debemos saber lo siguiente:

1. La salvación es gratis.

"Porque la paga del pecado es muerte, pero la dádiva de Dios es vida eterna en Cristo Jesús, Señor nuestro". Romanos 6.23

El ir al cielo es gratis; nada podemos hacer para ganarlo. Hay personas que tratan de ganar la vida eterna por medio de las obras; pero es a través de la muerte y resurrección de Jesucristo que somos salvos, y esto es por la gracia de Dios.

"Porque por gracia sois salvos por medio de la fe; y esto no de vosotros, pues es don de Dios; no por obras, para que nadie se gloríe". Efesios 2.8

2. Todos los hombres son pecadores.

"...por cuanto todos pecaron y están destituidos de la gloria de Dios...". Romanos 3.23

Hay personas que se jactan de ser buenas, que no le hacen mal a nadie, y por eso, creen que se ganarán el cielo. La palabra de Dios nos dice que, desde que Adán pecó, todo ser humano lleva en su sangre el pecado original; por lo tanto, todos los hombres y mujeres tienen pecado en su vida y no pueden salvarse a sí mismos. Todas las personas en algún momento han mentido, robado, codiciado, adulterado; es decir, todos hemos pecado.

Dios es un Dios bueno y misericordioso, y no quiere castigar al hombre. Él ama al mundo y, aunque Él es amor, tiene que castigarnos por el pecado que cada uno de nosotros comete. Dios ama a todo pecador, pero odia el pecado que practica; y es por eso, que Él tiene un dilema que resolver; y el modo de resolverlo fue a través de su Hijo Jesucristo, el cual vino a este mundo, fue crucificado, murió y resucitó por nuestros pecados.

"De tal manera amó Dios al mundo, que ha dado a su Hijo unigénito, para que todo aquel que en él cree no se pierda, sino que tenga vida eterna". Juan 3.16

3. Conocer a Jesucristo como el Hijo de Dios.

¿Quién es Jesús?

❖ Jesús es el Hijo de Dios, el cual es cien por ciento Dios y fue cien por ciento hombre.

"En el principio era el Verbo, el Verbo estaba con Dios y el Verbo era Dios. Éste estaba en el principio con Dios... Y el Verbo se hizo carne y habitó entre nosotros lleno de gracia y de verdad; y vimos su gloria, gloria como del unigénito del Padre".
Juan 1.1, 14

❖ Jesús es el único mediador entre Dios y los hombres.

"Pues hay un sólo Dios, y un sólo mediador entre Dios y los hombres: Jesucristo hombre".
1 Timoteo 2.5

¿Por qué razón Jesús es el único mediador entre Dios y los hombres?

Jesús es el único ser que es Dios y fue hombre al mismo tiempo; por lo tanto, entiende a Dios y entiende al hombre, y de la misma manera, siente y conoce el corazón del Padre y su santidad, tanto como el corazón del hombre y su pecado. Jesús es el único ser que puede tomar a Dios y al hombre de la mano y reconciliarlos. Todas las religiones han tenido un hombre como líder, pero ninguno de ellos ha sido Dios mismo; solamente Jesús es Dios y hombre al mismo tiempo, y eso es lo que hace al cristianismo diferente.

"Y por medio de él reconciliar consigo todas las cosas, así las que están en la tierra como las que están en los cielos, haciendo la paz mediante la sangre de su cruz". Colosenses 1.20

❖ Jesucristo es el camino.

La única forma de ir al Padre, la única manera de ir al cielo, el único modo de ser salvo, la única forma para que nuestros pecados sean perdonados, es reconociendo a Jesús como nuestro Señor y Salvador personal.

"Jesús le dijo: Yo soy el camino, la verdad y la vida; nadie viene al Padre sino por mí". Juan 14.6

¿Qué hizo Jesús por nosotros?

- **Él murió por nuestros pecados.**

Fue crucificado y resucitó al tercer día de entre los muertos y está sentado a la diestra del Padre. Jesús, a través de su muerte, pagó por todos nuestros pecados, rebeliones, enfermedades e iniquidades; para que recibamos por gracia todo aquello que Dios quería regalarnos, junto con la salvación. Él pagó el precio de la reconciliación en la cruz del Calvario.

¿Cómo recibimos el regalo de la salvación?

Lo recibimos por fe. Hay personas que tienen una idea propia de lo que es la fe. Piensan que, con el sólo hecho de creer con la mente, están creyendo en Dios, y realmente no es así; debemos creer con el corazón. Hay otros que creen en Dios simplemente cuando tienen problemas, pero una vez resueltos, se olvidan de Él, sin tener en cuenta que la verdadera fe es aquella que nace en el corazón y por medio de la cual creemos en Jesús como nuestro Señor y salvador, y hacemos lo que Él dice en su Palabra. Si usted hace una encuesta alrededor de su vecindario y le pregunta a la gente: ¿Usted cree en Dios? todo el mundo le dirá que sí, pero eso no les hace salvos; siguen pecando, siguen viviendo en su pecado. La palabra de Dios enseña que los demonios creen y tiemblan ante la presencia de Dios; sin embargo, eso no les hace salvos. Entonces, no es suficiente creer sólo con la mente, sino que debe creerse con el corazón y confesarlo con la boca.

¿Qué tenemos que hacer para ser salvos?

Creer y confiar en Jesús como el único mediador y salvador para ir al cielo, confesarlo con nuestra boca y recibirlo en nuestro corazón.

¿Cuáles son los pasos para recibir la salvación de nuestra alma e ir al cielo?

❖ **Arrepentirse de todos sus pecados.**

"El que oculta sus pecados no prosperará, pero el que los confiesa y se aparta de ellos alcanzará misericordia". Proverbios 28.13

❖ **Confesar sus pecados.**

"Si decimos que no tenemos pecado, nos engañamos a nosotros mismos y la verdad no está en nosotros. Si confesamos nuestros pecados, él es fiel y justo para perdonar nuestros pecados y limpiarnos de toda maldad". 1 Juan 1.8, 9

❖ **Confesar a Jesús como su Señor y su Salvador.**

"Si confiesas con tu boca que Jesús es el Señor y crees en tu corazón que Dios lo levantó de entre los muertos, serás salvo". Romanos 10.9

Si usted desea recibir el regalo de la salvación, repita esta oración:

"Padre celestial, yo reconozco que soy un pecador, y que mi pecado me separa de ti. Ahora mismo confieso con mi boca que Jesús es el Señor, y que

Dios el padre lo resucitó de los muertos. Yo recibo a Jesús en mi corazón y en mi vida. Yo renuncio a todo pacto con el enemigo, con las tinieblas, con mi propia carne y conmigo mismo. Yo me arrepiento de todos mis pecados y recibo el regalo de la salvación y de la vida eterna". Amén.

2

¿Qué sucedió cuando recibimos al Señor?

La mayor parte de los creyentes, después de haber recibido a Jesús en su corazón, después de haber hecho la oración del pecador, se encuentran con un dilema, y se preguntan: ¿Qué sucedió? ¿Qué hay después de esto? Aquí yo le voy a guiar conforme a la Palabra, para que usted pueda continuar en los caminos de Dios y pueda llevar mucho fruto.

Hay cambios muy profundos que ocurrirán en su vida después de conocer a Jesús. Éstos son cambios que no siempre entendemos; así que a continuación, le daré una explicación de lo que sucede al dar este paso en su vida.

¿Qué sucede en mi corazón al recibir a Jesús y creer en Él?

1. Un nuevo nacimiento.

Lo primero que toma lugar en su corazón es un nuevo nacimiento. Esto no significa que usted se vuelva a meter en el vientre de su madre, sino que Dios hizo un nacimiento nuevo en su corazón. Dios le cambia el "corazón de piedra" a un "corazón de carne", pues Él es el único que tiene este poder.

Veamos algunos versos bíblicos que confirman esto:

"Le respondió Jesús: De cierto, de cierto te digo que el que no nace de nuevo no puede ver el reino de Dios. Nicodemo le preguntó: ¿Cómo puede un hombre nacer siendo viejo? ¿Puede acaso entrar por segunda vez en el vientre de su madre y nacer? Respondió Jesús: De cierto, de cierto te digo que el que no nace de agua y del Espíritu no puede entrar en el reino de Dios. Lo que nace de la carne, carne es; y lo que nace del Espíritu, espíritu es. No te maravilles de que te dije: Os es necesario nacer de nuevo". Juan 3.3-7

"Esparciré sobre vosotros agua limpia y seréis purificados de todas vuestras impurezas, y de todos vuestros ídolos os limpiaré. Os daré un corazón nuevo y pondré un espíritu nuevo dentro de vosotros. Quitaré de vosotros el corazón de piedra y os daré un corazón de carne. Pondré dentro de vosotros mi espíritu, y haré que andéis en mis estatutos y que guardéis mis preceptos y los pongáis por obra". Ezequiel 36.25-27

Algunas veces, el hombre trata de cambiar por sí sólo, pero es imposible hacerlo sin la ayuda de Dios. Él es el único que tiene el poder de hacernos nacer de nuevo.

Recordemos lo que dijo Jesús: *"os es necesario nacer de nuevo"*. No importa cuál sea su religión, no importa si es miembro de una iglesia, no importa si ofrenda, si le da la mano al sacerdote, al pastor, etcétera; para ser salvo, necesita nacer de nuevo.

El nuevo nacimiento es exactamente lo que tomó lugar en su corazón el día que usted recibió al Señor. ¿Significa esto que usted después que recibe a Jesús, es perfecto?, ¿que no comete faltas? No; absolutamente negativo. Todavía hay muchas cosas con las cuales tenemos que lidiar en nuestra vida; tenemos que seguir creciendo en el conocimiento de Dios, y para ello es necesario, entre otras cosas, que sepamos de qué modo está compuesto el ser humano. De esta manera, podremos entender mejor lo que somos. Más adelante, estudiaremos más acerca de este tema.

2. **Somos hijos e hijas de Dios.**

Después que recibimos a Jesús, venimos a ser nacidos de Dios; por lo tanto, Él nos adopta como sus hijos.

"Mas a todos los que lo recibieron, a quienes creen en su nombre, les dio potestad de ser hechos hijos de Dios. Éstos no nacieron de sangre, ni por voluntad de carne, ni por voluntad de varón, sino de Dios". Juan 1.12, 13

Ahora, no solamente somos creación de Dios, sino que somos hijos de Dios; y como tales, tenemos derechos, privilegios, autoridad y poder. Hemos sido hechos coherederos con Cristo, y podemos disfrutar de bendiciones que antes no podíamos alcanzar porque no nos pertenecían. Ahora todas las promesas de Dios son para nosotros y debemos alegrarnos por esto. ¡Somos hijos de Dios!

3. **Se despierta un hambre por conocer más a Dios.**

Una vez que hemos recibido al Señor en nuestro corazón, se despierta una gran hambre por conocer de Dios, de su Palabra; ahora deseamos ir a la Iglesia, y queremos hablarle a todo el mundo acerca de lo que ha sucedido en nuestra vida. Eso es parte del nuevo nacimiento; Dios trae con éste todo ese deseo de conocerle más. Ésta es una verdadera señal de que ha habido en nosotros un genuino arrepentimiento; sólo un corazón arrepentido de sus pecados desea buscar las cosas de Dios.

4. **Somos una nueva criatura.**

"De modo que si alguno está en Cristo, nueva criatura es: las cosas viejas pasaron; todas son hechas nuevas". 2 Corintios 5.17

Cuando la palabra de Dios enseña que somos *nuevas criaturas*, no significa que usted no tiene más pensamientos malos, que ya no peca más, que ya no comete errores; realmente no. *Nueva criatura* significa que su corazón fue hecho nuevo, pero su alma necesita ser renovada cada día.

Nueva criatura significa que las cosas que usted hacía antes ya no las hace más, los pecados que usted cometía antes ya no los practica más. Si usted fornicaba, adulteraba, se emborrachaba, mentía, robaba, celaba, odiaba y maldecía con su boca, ya no lo hace más, le da repugnancia involucrarse en algo que ofenda a Dios, se siente mal. Esto es una señal de que usted es una nueva criatura en Cristo Jesús, que ha nacido de nuevo.

5. Tenemos un encuentro personal con Dios.

Hay millones de personas que conocen de Dios, hablan de Dios, creen en Dios a su manera, pero nunca han tenido un encuentro personal con Él y como resultado, Dios es para ellos una religión más, siguen practicando su pecado y no tienen ningún cargo de conciencia, porque no han tenido un encuentro personal con Él. ¿Qué significa tener un encuentro personal con Dios? Significa que usted ahora lo conoce en Sus diferentes fasetas, tales como: amigo, padre, hermano, compañero, Dios, sanador, proveedor, y todo lo que Él es. Puede hablar con Él, puede sentir su presencia, la cual se hace real en su vida, le ora a Él y Él le contesta sus oraciones, camina con Él y siente su amor. Es algo maravilloso conocer a Jesús personalmente. Una de las cosas que suceden en su vida y la razón por la cual está tan feliz, es que ha tenido un encuentro con Dios; el que hizo los cielos y la tierra. Él es el único que da verdadera paz y gozo.

3

Ahora que soy salvo, ¿dónde debo empezar?

La mayoría de las personas, después de que son salvas, no saben por dónde empezar, no saben qué hacer, no saben lo que Dios espera de ellos, y las responsabilidades suyas hacia Dios. A continuación, vamos a estudiar algunos puntos básicos que debemos seguir para continuar creciendo en el Señor.

1. Estudiar la palabra de Dios.

La palabra de Dios es la carta personal de Dios para nuestra vida; es el manual que nos enseña cómo vivir aquí en la tierra. La palabra de Dios tiene el consejo exacto para ser mejores padres, mejores hijos, mejores esposos y esposas. Nos enseña cómo tener una relación cercana con Dios, nos enseña a vivir efectivamente en esta tierra y tener victoria en todas las áreas de nuestra vida.

¿Cuáles son algunas de las preguntas que podemos hacer acerca de la Biblia?

a. ¿Qué es la Biblia?

Es la palabra de Dios para nuestras vidas.

"La palabra de Dios es viva, eficaz y más cortante que toda espada de dos filos: penetra hasta partir el

alma y el espíritu, las coyunturas y los tuétanos, y discierne los pensamientos y las intenciones del corazón". Hebreos 4.12

Además, la Biblia es un conjunto de libros que fueron inspirados por Dios.

"...y que desde la niñez has sabido las Sagradas Escrituras, las cuales te pueden hacer sabio para la salvación por la fe que es en Cristo Jesús. Toda la Escritura es inspirada por Dios y útil para enseñar, para redargüir, para corregir, para instruir en justicia". 2 Timoteo 3.15, 16

La Biblia es un documento legal donde Dios establece los términos de su pacto con sus hijos. Dios, en su palabra, nos enseña sus bendiciones, sus privilegios, su autoridad, sus promesas; Dios nos muestra en la Biblia todos beneficios para el creyente.

b. **¿Quién escribió la Biblia?**

La palabra de Dios fue escrita por más de 40 escritores en un período de 2,000 años. Cada uno de estos hombres fue inspirado por Dios para escribir todo lo que Dios quería que su pueblo supiera. La Biblia entonces, fue escrita por hombres de carne y hueso, pero la inspiración vino de Dios; por tanto, todo lo que está escrito en la Biblia viene del corazón de

Dios. Así que, la palabra es perfecta desde Génesis hasta Apocalipsis.

"Pero ante todo entended que ninguna profecía de la Escritura es de interpretación privada, porque nunca la profecía fue traída por voluntad humana, sino que los santos hombres de Dios hablaron siendo inspirados por el Espíritu Santo". 2 Pedro 1.20, 21

c. ¿Cómo está dividida la Biblia?

La Biblia está dividida en: Antiguo Testamento o Viejo Pacto; Nuevo Testamento o Nuevo Pacto.

La palabra *testamento* significa pacto.

d. ¿Cuántos libros tiene la Biblia?

La Biblia tiene 66 libros que están divididos en capítulos y versículos. La razón por la cual está dividida así es que de esta forma, es más fácil estudiarla.

e. ¿Cuál es el propósito de la palabra de Dios para el creyente?

La Palabra nos instruye y nos ayuda a conocer la voluntad de Dios para nosotros, con el fin de que "el hombre de Dios sea perfecto, maduro y enteramente preparado para toda buena obra".

"Toda la Escritura es inspirada por Dios y útil para enseñar, para redargüir, para corregir, para instruir en justicia, a fin de que el hombre de Dios sea perfecto, enteramente preparado para toda buena obra". 2 Timoteo 3.16, 17

La palabra de Dios es para dar el sustento espiritual al creyente:

Esto lo podemos ver ilustrado en la Biblia, donde Dios la compara con diferentes elementos o le da distintos simbolismos y le llama el alimento espiritual. La Palabra es una dieta balanceada y completa. Veamos algunos simbolismos, con los cuales se compara la palabra de Dios:

Leche (1 Pedro 2.2)
Miel   (Salmos 119.103)
Pan   (Lucas 4.4)
Agua (Efesios 5.26)
Carne (Hebreos 5.12-14)

f.   ¿Es la Biblia completamente confiable? Sí

"Toda la Escritura es inspirada por Dios y útil para enseñar, para redargüir, para corregir, para instruir en justicia...". 2 Timoteo 3.16

"Toda palabra de Dios es limpia; él es escudo para los que en él esperan. No añadas a sus palabras,

para que no te reprenda y seas hallado mentiroso".
Proverbios 30.5, 6

Jesús habló de que la palabra es confiable y que podemos poner nuestra vida en ella; podemos confiar totalmente en ella, porque Dios la respalda.

"El cielo y la tierra pasarán, pero mis palabras no pasarán". Mateo 24.35

El universo fue creado por la palabra de Dios.

"Por la fe comprendemos que el universo fue hecho por la palabra de Dios, de modo que lo que se ve fue hecho de lo que no se veía". Hebreos 11.3

g. ¿Cómo estudiar y aprender de la Biblia?

El Espíritu Santo irá guiando nuestra vida para decirnos como vamos a estudiar y aprender la palabra de Dios; pero yo quiero darle algunos consejos prácticos que le van a ayudar.

• Empiece a leer el nuevo testamento, comenzando con los libros de Mateo, Marcos, Lucas y Juan.

• Medite en lo leído y aplíquelo a su vida.

• Confiese con su boca lo que leyó y medítelo; específicamente algún verso que impactó o tocó su corazón.

- Cuando confesamos la Palabra, ésta se hace real en nuestra vida y entonces produce fruto.

- Practique y viva lo que aprendió. De nada nos sirve saber y conocer la Palabra si no la vivimos; solamente se quedará en un conocimiento mental. La palabra de Dios cambiará su vida si todo lo que oye lo practica y lo vive.

  "A cualquiera, pues, que me oye estas palabras y las pone en práctica, lo compararé a un hombre prudente que edificó su casa sobre la roca. Descendió la lluvia, vinieron ríos, soplaron vientos y golpearon contra aquella casa; pero no cayó, porque estaba cimentada sobre la roca. Pero a cualquiera que me oye estas palabras y no las practica, lo compararé a un hombre insensato que edificó su casa sobre la arena. Descendió la lluvia, vinieron ríos, soplaron vientos y dieron con ímpetu contra aquella casa; y cayó, y fue grande su ruina". Mateo 7.24-27

- Oiga mensajes de la Palabra por medio de casetes. Al oír continuamente la palabra de Dios, producirá fe en su corazón. Por eso, es necesario estar oyéndola en todo momento, para que fortalezca nuestra fe; y una manera de hacerlo es a través de los casetes de mensajes bíblicos.

"Así que la fe es por el oír, y el oír, por la palabra de Dios". Romanos 10.17

Algunas veces, encontrará muchas cosas en la Biblia que no logrará entender en el momento, pero a medida que crezca en el Señor, va a ir comprendiendo más; y si no, pídale al Espíritu Santo que le ayude a entender más su Palabra.

2. Empezar a tener una vida de oración.

Hay ciertos ejercicios espirituales que todo nuevo creyente debe practicar, y uno de ellos es el orar todos los días. Así como el cuerpo físico necesita alimento para vivir, crecer, mantenerse saludable, hacer ejercicio físico, de esa misma manera, el nuevo creyente necesita hacer ciertos ejercicios espirituales que lo mantendrán creciendo saludable y fuerte.

¿Qué es la oración?

Es un diálogo, una conversación con nuestro Padre celestial, en la cual le decimos todo lo que sentimos en nuestro corazón.

"Cuando ores, no seas como los hipócritas, porque ellos aman el orar de pie en las sinagogas y en las esquinas de las calles para ser vistos por los hombres; de cierto os digo que ya tienen su recompensa. Pero tú, cuando ores,

entra en tu cuarto, cierra la puerta y ora a tu Padre que está en secreto; y tu Padre, que ve en lo secreto, te recompensará en público". Mateo 6.5, 6

¿Cuál es la diferencia entre orar y rezar?

Rezar: significa hacer repeticiones vanas. Sin embargo, **orar** es hablar y conversar con Dios. De la misma manera que un padre le habla a su hijo y viceversa, así es nuestra relación con Dios; no tenemos por qué repetir frases vanas. Podemos hablarle así como un hijo le habla a su padre, con toda libertad y le expresa todo lo que tiene en el corazón.

¿Cuáles son los pasos para orar efectivamente?

a. Orar al Padre en el nombre de Jesús.

"En aquel día no me preguntaréis nada. De cierto, de cierto os digo que todo cuanto pidáis al Padre en mi nombre, os lo dará". Juan 16.23

Toda oración que hagamos a Dios siempre tiene que ser dirigida al Padre en el nombre de Jesús. De otra forma, Dios no nos oye.

¿Por qué debe ser en el nombre de Jesús?

Porque es el único hombre sin pecado, que siendo Dios mismo, murió por nosotros, resucitó y venció, y es el único nombre reconocido por Dios en los cielos. Si usted le pide a Dios en cualquier otro nombre, Dios no contesta su oración ni siquiera le oye.

"Y en ningún otro hay salvación, porque no hay otro nombre bajo el cielo, dado a los hombres, en que podamos ser salvos". Hechos 4.12

¿Por qué el nombre de Jesús? ¿Qué es lo que tiene?

El nombre de Jesús tiene poder y autoridad en los cielos, en la tierra y debajo de la tierra:

- Poder para sanar.

  "Y les dijo: Id por todo el mundo y predicad el evangelio a toda criatura. El que crea y sea bautizado, será salvo; pero el que no crea, será condenado. Estas señales seguirán a los que creen: En mi nombre, echarán fuera demonios, hablarán nuevas lenguas, tomarán serpientes en las manos y, aunque beban cosa mortífera, no les hará daño; sobre los enfermos pondrán sus manos, y sanarán". Marcos 16.15, 16

- Poder para salvar.
- Poder para librar.
- Poder para proteger.
- Poder para hacer cualquier cosa.

b. Orar conforme o de acuerdo a la palabra de Dios.

"Ésta es la confianza que tenemos en él, que si pedimos alguna cosa conforme a su voluntad, él nos oye. Y si sabemos que él nos oye en cualquiera cosa que pidamos, sabemos que tenemos las peticiones que le hayamos hecho". 1 Juan 5.14, 15

Podemos tener la seguridad de que cuando pedimos algo a Dios, conforme a su Palabra, Él nos oye. Por ejemplo, es la voluntad de Dios que usted sea sano, libre, próspero. Por lo tanto, si usted le pide a Dios salud, Él le dará salud. Entonces, esté seguro que cuando le pida algo a Dios, sea conforme a su Palabra y de esta forma sus oraciones serán contestadas.

c. Ore con confianza y fe

"Acerquémonos, pues, confiadamente al trono de la gracia, para alcanzar misericordia y hallar gracia para el oportuno socorro". Hebreos 4.16

"Pero sin fe es imposible agradar a Dios, porque es necesario que el que se acerca a Dios crea que él existe y que recompensa a los que lo buscan". Hebreos 11.6

Recuerde que Dios ahora es su Padre celestial. Cuando vaya a orar, no se acerque a Dios con temor a ser rechazado o castigado; acérquese con confianza y fe, que Él oye, contesta sus oraciones, es su Padre y le va a dar lo que usted le pida.

d. Orar con acción de gracias

"Por nada estéis angustiados, sino sean conocidas vuestras peticiones delante de Dios en toda oración y ruego, con acción de gracias. Y la paz de Dios, que sobrepasa todo entendimiento, guardará vuestros corazones y vuestros pensamientos en Cristo Jesús". Filipenses 4.6

Cuando ya hemos hecho a Dios nuestra petición, concluimos nuestra oración a Dios con acción de gracias por habernos oído y por habernos contestado las oraciones. Cada vez que usted haga una oración, debe ser finalizada, dándole gracias a Dios.

e. ¿Por qué debemos orar?

- Para desarrollar una relación íntima con Dios. Todos los días dedique un tiempo para hablar con Él, y de esa manera, va a ir desarrollando una relación cercana con el Padre.

- Para pedir y recibir aquello que necesitamos de Dios.

- Para no caer en tentación.

"Yendo un poco adelante, se postró sobre su rostro, orando y diciendo: «Padre mío, si es posible, pase de mí esta copa; pero no sea como yo quiero, sino como tú». Volvió luego a sus discípulos y los halló durmiendo, y dijo a Pedro: —¿Así que no habéis podido velar conmigo una hora? Velad y orad para que no entréis en tentación; el espíritu a la verdad está dispuesto, pero la carne es débil". Mateo 26.39-41

- Para pelear contra el enemigo.

¿Cuáles son los obstáculos que se atraviesan para que Dios no escuche nuestras oraciones?

a. La falta de perdón

"Y cuando estéis orando, perdonad, si tenéis algo contra alguien, para que también vuestro Padre que está en los cielos os perdone a vosotros vuestras ofensas, porque si vosotros no perdonáis, tampoco vuestro Padre que está en los cielos os perdonará vuestras ofensas". Marcos 11.25, 26

Cuando una persona tiene algo contra otra en su corazón, Dios no la oye. Porque antes que Dios nos perdone, tenemos que perdonar a los que nos han ofendido.

¿Qué es perdonar?

Perdonar: es librar o dejar ir a una persona que nos ha ofendido; es soltar a la persona que nos causó daño; es cancelar una deuda pendiente que alguien tiene con uno; es tomar la decisión de perdonar como un acto de nuestra voluntad.

Algunos puntos importantes acerca del perdón son:

- El perdón no es una altenativa; es un mandato del Señor.

- La falta de perdón es una carnada del enemigo.

- La falta de perdón es una de las causantes de muchas enfermedades físicas, tales como: artritis, insomnio, úlceras, cáncer, etcétera.

- La falta de perdón es el mayor estorbo a sus oraciones.

- Dios no oye a ninguna persona que esté enojada contra su hermano; por lo tanto, perdone ahora mismo.

¿Cuáles son los pasos para perdonar?

- Tome una decisión de perdonar.
- Haga una lista de personas que le han herido durante toda su vida.
- Exprese su perdón en forma verbal.
- Arrepiéntase por guardar falta de perdón en su corazón.
- Renuncie a todo espíritu de resentimiento, odio, amargura, entre otros.

b. La duda o incredulidad

"Pero pida con fe, no dudando nada, porque el que duda es semejante a la onda del mar, que es arrastrada por el viento y echada de una parte a otra. No piense, pues, quien tal haga, que recibirá cosa alguna del Señor". Santiago 1.6, 7

¿Qué significa duda?

Es estar dividido, en la mente y en el corazón, entre dos o más pensamientos; es estar confuso y confundido sin saber en qué camino creer.

Usted no puede estar confundido en su mente o su corazón, pensando si Dios lo oye o no lo oye, si será verdad que Dios contesta las oraciones de su pueblo, y por otra parte, estar diciendo: "yo creo que Dios sí me oye". La persona que duda, en un momento cree una cosa y en otro momento cree lo contrario.

Recordemos que, si nos acercamos a Dios, aunque no lo veamos físicamente, Él nos oye y está atento a nuestras oraciones. No podemos estar dudando si Él está con nosotros o no. Piense lo que dice la Palabra: Él es galardonador de aquellos que le buscan. No dude, que todo lo que usted le pide, Él lo escucha; no dude, que todo lo que usted le pida, Él se lo dará.

Uno de los grandes obstáculos en nuestras oraciones es la duda; no dude más y crea la palabra de Dios y Él le bendecirá.

c. El maltrato al cónyuge

"Vosotros, maridos, igualmente, vivid con ellas sabiamente, dando honor a la mujer como a vaso más frágil y como a coherederas de la gracia de la vida, para que vuestras oraciones no tengan estorbo". 1 Pedro 3.7

Cuando un cónyuge maltrata verbal, emocional o físicamente al otro, esto será un obstáculo a sus oraciones y Dios no le oye.

¿Por qué esto es así?

Porque los esposos son uno con su mujer, y si maltratan a su mujer, así mismos se maltratan. Y como hijo o hija de Dios, está maltratando también a Cristo. Si usted desea que todas sus oraciones sean escuchadas, empiece a tratar bien a su cónyuge, tanto con sus palabras como con sus hechos.

d. La falta de compromiso

Uno de los obstáculos de las oraciones es la falta de compromiso. La gente no se compromete a orar todos los días, no le dan importancia a la oración, y como resultado, no progresan en el Señor. Estar comprometido significa tomar una decisión por largo tiempo con todo el corazón sin volver atrás. Cada creyente debe tomar una decisión de orar por largo tiempo para acercarse más a Dios.

e. La falta de disciplina

Cada creyente debe aprender a disciplinarse en su vida de oración. Para poder lograr una vida de oración continua y constante con Dios, debemos disciplinar nuestro cuerpo. Uno de los grandes enemigos de la oración y de nuestra vida es la falta de disciplina. Tome una decisión de orar 15-30 minutos diarios para empezar, y después, vaya aumentando su tiempo, hasta que logre una disciplina con el Señor y la oración.

f. La falta de perseverancia

"Orad en todo tiempo con toda oración y súplica en el Espíritu, y velad en ello con toda perseverancia y súplica por todos los santos". Efesios 6.18

"También les refirió Jesús una parábola sobre la necesidad de orar siempre y no desmayar".
Lucas 18.1

Uno de los grandes enemigos de la libertad de un creyente es la falta de perseverancia. Es importante desarrollar perseverancia para lograr una vida de oración efectiva. Hay algunas personas que oran todos los días por dos semanas, pero después de ese tiempo, lo dejan, y como resultado, se debilitan y caen en la tentación.

Desarrolle perseverancia en su vida. Todo lo que empiece, termínelo y usted tendrá victoria en su vida. Por muchos obstáculos que el enemigo levante para detener su oración con Dios, sea disciplinado. Haga un compromiso de orar y perseverar hasta el final; no desmaye si usted ve que las oraciones no son contestadas inmediatamente; créale al Señor y verá resultados maravillosos.

3. Debe asistir a una iglesia.

"...no dejando de congregarnos, como algunos tienen por costumbre, sino exhortándonos; y tanto más, cuanto veis que aquel día se acerca". Hebreos 10.25

Hay algunas personas que no consideran que asistir a una iglesia sea importante, porque ellos dicen que Dios está en todos los lugares, y que por eso no necesitan ir a la iglesia; sin saber que esto es una cosa muy importante.

¿A qué tipo de iglesia cristiana debo ir?

A una iglesia cristiana evangélica. Debe ser una iglesia que crea en toda la palabra de Dios; una iglesia viva y llena de la presencia de Dios; llena del poder de Dios, del gozo y de todas aquellas cosas que Dios nos ha entregado.

¿Cuál debe ser el credo que tiene que tener la iglesia donde asiste?

- Creer en Jesús como el único camino para ir al cielo y al Padre.

  "Jesús le dijo: —Yo soy el camino, la verdad y la vida; nadie viene al Padre sino por mí". Juan 14.6

- Creer que Jesús vino a esta tierra como hombre; fue crucificado por nuestros pecados, murió y resucitó al tercer día.

- Creer en la trinidad de Dios. Son tres personas unidas en propósito; el Padre, el Hijo y el Espíritu Santo.

  "Por tanto, id y haced discípulos a todas las naciones, bautizándolos en el nombre del Padre, del Hijo y del Espíritu Santo..." Mateo 28.19

- Creer en el bautismo en agua por inmersión. Todo creyente debe ser bautizado en agua.

  "...porque somos sepultados juntamente con él para muerte por el bautismo, a fin de que como Cristo resucitó de los muertos por la gloria del Padre, así también nosotros andemos en vida nueva".
  Romanos 6.4

- Creer en el bautismo con el Espíritu Santo. Hay una experiencia nueva después de haber conocido al Señor, y es ser lleno del Espíritu Santo; esto es, con la evidencia de hablar en otras lenguas.

  "...pero recibiréis poder cuando haya venido sobre vosotros el Espíritu Santo, y me seréis testigos en Jerusalén, en toda Judea, en Samaria y hasta lo último de la tierra". Hechos 1.8

- Creer en la sanidad divina de nuestro cuerpo, como una señal del poder de Dios en nosotros.

  "Y les dijo:—Id por todo el mundo y predicad el evangelio a toda criatura". Marcos 16.15

- Creer en la liberación como el pan de los hijos. La voluntad de Dios no es solamente salvarnos y sanarnos, sino también librarnos de toda opresión.

- Creer en la segunda venida de Jesucristo como Rey de reyes y Señor de señores.

- Creer en la palabra de Dios como inmutable, inspirada por Dios, incambiable, y la única autoridad de Dios para nuestras vidas.

- Creer que hay un infierno y un cielo.

  "Entonces, gritando, dijo: Padre Abraham, ten misericordia de mí y envía a Lázaro para que moje la punta de su dedo en agua y refresque mi lengua, porque estoy atormentado en esta llama".
  Lucas 16.24

¿Cuáles son algunas de las razones por las cuales debemos asistir a una iglesia?

a. **Para ser fortalecidos en Dios.** La Iglesia es el lugar donde podemos fortalecernos y animarnos cuando estamos pasando problemas y dificultades.

b. **Para recibir cobertura espiritual.** Esto significa que usted tendrá un pastor y una Iglesia orando por usted, para que Dios lo proteja, lo guarde y las bendiciones de Dios estén con usted.

c. **Para tener compañerismo y amistad con los hermanos**. *Salmos 133.1-3*. Ahora que hemos recibido al Señor como salvador de nuestra vida, Dios nos ha dado una nueva familia, y es necesario ir a la iglesia para conocer esa familia y tener compañerismo y amistad con ella.

d. **Para alabar y adorar a Dios.** Podemos alabar al Señor donde quiera que estemos, pero Dios ha diseñado un lugar específico llamado Iglesia para juntar a los hermanos, y en armonía, adorar al Señor; y como resultado de esa alabanza en armonía, Dios enviará su bendición.

Recuerde que la Iglesia no es el edificio donde nos congregamos; la Iglesia son las personas que la componen. Aunque Dios le ha dado a cada creyente un pastor y una Iglesia como lugar para estar juntos como hermanos y alabar a Dios.

"¡Mirad cuán bueno y cuán deleitoso es habitar los hermanos juntos en armonía!". Salmos 133.1

e. **Para estudiar la palabra de Dios.** Una de las grandes razones por las cuales se asiste a una iglesia es para estudiar, aprender y crecer en el conocimiento de la palabra de Dios. La palabra de Dios es la autoridad para nuestra vida y nos ayudará a crecer espiritualmente. Dios ha puesto en la iglesia apóstoles, profetas, maestros, pastores y evangelistas para que nos enseñen y nos instruyan en la palabra de Dios.

4

¿Qué espera Dios
de mí?

D espués de haber recibido a Jesús como Señor y salvador, surge una pregunta: ¿Qué espera Dios de mí? Dios no nos salvó, simplemente, para estar sentados en una banca o para estar en esta tierra perdiendo el tiempo. Él nos salvó con un propósito divino.

¿Qué espera Él que yo haga?

1. Evangelizar a otros.

Dios espera que usted evangelio e a otras personas, que comparta el testimonio de lo que Dios ha hecho en su vida. Otras personas como usted, están vacías, se sienten solas y tristes, quieren ser libres y necesitan lo que usted tiene ahora, una relación personal con Jesús. Dios lo ha escogido a usted como instrumento para evangelizar a otros.

2. ¿Por qué debo evangelizar a otros?

Es un mandato de Dios para todo creyente.

"Y les dijo: Id por todo el mundo y predicad el evangelio a toda criatura. El que crea y sea bautizado, será salvo; pero el que no crea, será condenado". Marcos 16.15, 16

Ésta es la gran comisión, evangelizar donde quiera que estemos, donde quiera que vayamos, a toda persona que encontremos; todos deben saber de Jesús. Esta gran comisión, debemos llevarla a nuestros hogares, a nuestro trabajo, a la Iglesia, y a todo el resto del mundo.

3. **¿Quiénes deben evangelizar?**

Cada creyente. Es nuestra responsabilidad, después de haber conocido al Señor, compartir el evangelio, la palabra de Dios con otros que no la conocen.

4. **¿Qué respaldo tengo para hablar del evangelio?**

- El poder del Espíritu Santo.

"Pero recibiréis poder cuando haya venido sobre vosotros el Espíritu Santo, y me seréis testigos en Jerusalén, en toda Judea, en Samaria y hasta lo último de la tierra". Hechos 1.8

El Espíritu Santo es quien le dará las palabras para testificar y hablar a otros de Jesús. Ore al Señor cada vez que le vaya a hablar a alguien, y Él le dará las palabras y la sabiduría para hacerlo.

5. **¿Qué debo decir?**

Algunas personas piensan que porque no saben mucho de la Biblia no pueden compartir el evangelio con nadie, pero usted tiene un arma poderosa, que es su propio testimonio. Su propio testimonio es lo primero que debe compartir con otros porque es una evidencia real de lo que Dios ha hecho en su vida. Usted ha tenido una experiencia de primera mano con Dios, y lo que ha experimentado en su vida personal, eso es lo que debe compartir.

6. ¿Con quién compartiré mi testimonio?

- Con su familia
- Con sus compañeros de trabajo
- Con sus vecinos
- Con sus amigos

7. ¿Cómo compartir mi testimonio?

- Describa brevemente su trasfondo y ambiente de los cuales usted proviene. En otras palabras, describa la condición que usted tenía y con quién se relacionaba, antes de conocer al Señor. Puede dar algún ejemplo tal como: "yo era una persona que me sentía sola y rechazada", puede usar cualquier otro ejemplo.

- La necesidad de **buscar a Dios.** ¿Qué lo llevó a buscar a Dios? Lamentablemente, la mayor parte de la gente busca a Dios cuando tiene problemas, cuando tiene la soga al cuello. Comparta con los demás aquello que lo llevó a buscar a Dios. Por ejemplo: "tenía deseos de suicidarme"; "tenía un vicio que no podía vencer por mí mismo"; "tuve que buscar a Dios porque sentía un vacío en mi corazón" y así sucesivamente.

- Describa la evidencia de su cambio. Sea específico en cómo era usted antes y cómo es ahora que conoce al Señor. Por ejemplo, antes me sentía solo y rechazado, pero ahora me siento alegre y ya no me siento rechazado. Antes decía malas palabras y ahora ya no las digo; antes fumaba, ahora ya no fumo".

- Comparta cómo ha sido su **caminar con Dios**. Explique cómo fueron los primeros días, meses y cómo se siente en el hogar, en la iglesia y en su trabajo.

- Explique la prioridad de Jesús en su vida. Antes, Jesús ocupaba el último lugar y como ahora es el Señor de su vida y ocupa el primer lugar; usted no hace nada sin Él, usted le ama más que a su familia, más que a su trabajo y más que a cualquier otra cosa.

De esta manera, usted puede compartir su testimonio para que otros conozcan a Jesús como Señor y Salvador, y Su evangelio poderoso. Tome una decisión, desde el día de hoy, de compartir su testimonio con alguien cercano a usted todos los días, y de esta manera, estará practicando la gran comisión de predicar y llevar el evangelio a toda criatura.

- El conocer y el hablar de Dios tienen un **costo**. Usted será criticado, rechazado por la gente, aún por su propia familia, a Jesús mismo su propia familia lo llamó loco, y Él dijo que lo mismo nos sucedería a nosotros. Esté dispuesto a pagar el precio de la crítica y el rechazo.

"El que ama a padre o madre más que a mí, no es digno de mí; el que ama a hijo o hija más que a mí, no es digno de mí; y el que no toma su cruz y sigue en pos de mí, no es digno de mí. El que halle su vida, la perderá; y el que pierda su vida por causa de mí, la hallará". Mateo 10.37-39

"Jesús le dijo: Amarás al Señor tu Dios con todo tu corazón, con toda tu alma y con toda tu mente". Mateo 22.37

5

Hay tres verdades que Dios desea que usted conozca

Hay verdades importantes que debemos saber y conocer cuando somos recién convertidos al cristianismo. Estas tres verdades serán el fundamento para nuestra vida cristiana y para que seamos fuertes en Dios.

1. Lo que soy en Cristo Jesús.

- Soy hijo o hija de Dios. *Juan 1.12*
- Soy justo. *Romanos 5.1*
- Soy libre. *Colosenses 1.13*
- Soy aceptado por Dios. *Efesios 1.6*
- Soy santo. *Efesios 1.4*
- Soy amado por Dios. *Juan 3.16*
- Soy más que vencedor. *Romanos 8.37*
- Soy parte de la familia de Dios. *Efesios 2.19*
- Soy nueva criatura. *2 Corintios 5.17*
- Soy salvo y voy al cielo. *Efesios 2.8*
- Soy próspero. *3 Juan 1.2*
- Soy sano. *Isaías 53.3-5*

2. Todo lo puedo en Cristo Jesús.

No hay ninguna cosa que yo no pueda hacer en Cristo Jesús. Dios me ha prometido que todo lo puedo en Él.

"Todo lo puedo en Cristo que nos fortalece".
Filipenses 4.13

¿Qué cosas puedo hacer en Cristo Jesús?

- Puedo cambiar.

  "...estando persuadido de esto, que el que comenzó en vosotros la buena obra la perfeccionará hasta el día de Jesucristo". Filipenses 1.6

- Puedo vencer en cualquier área de mi vida.
- Puedo ser libre.
- Puedo cumplir el llamado y el propósito de Dios en mi vida.
- Puedo vencer todos los problemas y tribulaciones.

  "¿Quién nos separará del amor de Cristo? ¿Tribulación, angustia, persecución, hambre, desnudez, peligro o espada? Como está escrito: «Por causa de ti somos muertos todo el tiempo; somos contados como ovejas de matadero». Antes, en todas estas cosas somos más que vencedores por medio de aquel que nos amó". Romanos 8.35-37

- Puedo hacer todo lo que Dios quiere que haga.

3. **Lo que tengo en Cristo.**

   - Tengo vida eterna. *1 Juan 5.13*
   - Tengo poder. *Hechos 1.8*

- Tengo autoridad. *Lucas 10.17-19*
- Tengo la armadura de Dios. *Efesios 6.10, 11*
- Tengo armas espirituales. *2 Corintios 10.4* Las armas incluyen: el nombre de Jesús, la Sangre de Jesús, el poder del Espíritu Santo, la palabra de Dios y la fe.
- Tengo santidad en mi cuerpo. *1 Pedro 2.24*
- Tengo protección de Dios. *Salmos 27.1*

6

¿Cuáles son mis responsabilidades como nuevo creyente?

H emos estado estudiando todos nuestros privilegios, nuestras bendiciones y derechos como hijos de Dios, lo que somos, lo que tenemos y podemos en Cristo Jesús; pero también, vamos a estudiar algunas de nuestras responsabilidades.

Con cada bendición que Dios nos da, Él entrega una responsabilidad; y para que esto tenga un balance, debemos saber cuáles son nuestras bendiciones, y cuáles son nuestras responsabilidades.

1. **Apoyar la iglesia local.**

Cuando nos convertimos, Dios nos pone en una iglesia y nos da un pastor, al cual debemos apoyar espiritualmente, con nuestros recursos, nuestro servicio, nuestros talentos y habilidades; porque a cada uno de nosotros, Dios nos dio un don para bendecir a la Iglesia.

2. **Diezmar y ofrendar.**

Siempre que hablamos de dar el diezmo al Señor, la gente se pone a la defensiva. Sin embargo, éste es un principio que Dios estableció para que prosperemos financieramente. Los únicos medios y métodos que Dios usa para que su pueblo sea prosperado financieramente son: el diezmo y la ofrenda. No es a través del bingo, la lotería o cualquier otro juego de azar, sino cuando le damos al Señor nuestros diezmos y ofrendas.

¿Qué es el diezmo? Es el 10% de nuestra entrada.

¿Qué es la ofrenda? Es un dinero extra, además del diezmo.

¿Dónde está escrito esto en la Biblia?

"¿Robará el hombre a Dios? Pues vosotros me habéis robado. Y aún preguntáis: "¿En qué te hemos robado?" En vuestros diezmos y ofrendas. Malditos sois con maldición, porque vosotros, la nación toda, me habéis robado. Traed todos los diezmos al alfolí y haya alimento en mi casa: Probadme ahora en esto, dice Jehová de los ejércitos, a ver si no os abro las ventanas de los cielos y derramo sobre vosotros bendición hasta que sobreabunde". Malaquías 3.8-10

Recuerde que el diezmo y la ofrenda son voluntarios; esto no tiene que ver con la salvación para ir al cielo, pero si usted no diezma ni ofrenda al Señor, simplemente usted pierde las bendiciones de Dios. Recuerde que la salvación es gratis, pero llevarla a otros, cuesta dinero en la radio, en la televisión y en cualquier otro medio.

3. Servir en la iglesia.

Dios ha dado a cada uno de nosotros un don, un talento, una habilidad para poder servir a los hermanos, y Él espera que tomemos la iniciativa de servir en algún departamento de la iglesia. ¿Por qué usted sirve a Dios? Por agradecimiento.

"Así que, recibiendo nosotros un Reino inconmovible, tengamos gratitud, y mediante ella sirvamos a Dios agradándole con temor y reverencia". Hebreos 12.28

La gratitud al Señor por todo lo que Él ha hecho en nuestra vida nos lleva a servirle; nadie sirve al Señor por la fuerza sino por agradecimiento. Por lo tanto, si usted tiene gratitud con Dios, involúcrese sirviendo en la iglesia. Infórmese de cuáles son los diferentes departamentos de la iglesia para que usted pueda empezar a hacerlo. Si usted tiene pasión por la música, por los niños, por los desamparados, o cualquier otro don o talento que usted tenga, póngalo al servicio del Señor.

7

Preguntas de un nuevo creyente

1. ¿Qué sucede si peco otra vez?

Si se arrepiente de todo corazón, Él perdonará sus pecados. Hay un abogado que intercede por usted en el cielo ante Padre, y es Cristo Jesús.

"Si confesamos nuestros pecados, él es fiel y justo para perdonar nuestros pecados y limpiarnos de toda maldad. Si decimos que no hemos pecado, lo hacemos a él mentiroso y su palabra no está en nosotros".
1 Juan 1.9, 10

"Hijitos míos, estas cosas os escribo para que no pequéis. Pero si alguno ha pecado, abogado tenemos para con el Padre, a Jesucristo, el justo". 1 Juan 2.1

Recuerde que el hecho de que seamos cristianos no significa que somos perfectos, le vamos a fallar al Señor; pero para eso nos ha dado el poder de su sangre, para limpiarnos de toda maldad. El único requisito para obtener ese perdón es el arrepentimiento.

2. ¿Debo bautizarme en aguas si ya fui bautizado cuando era niño?

La palabra de Dios enseña que los niños no deben bautizarse en aguas, porque no tienen conocimiento del bien o del mal. Jesucristo fue presentado en el templo cuando era niño y no fue bautizado hasta que fue un adulto. Los niños se presentan a Dios, se dedican al Señor, pero no se bautizan.

"Cuando se cumplieron los días de la purificación de ellos conforme a la Ley de Moisés, lo trajeron a Jerusalén para presentarlo al Señor". Lucas 2.22

Como vemos aquí, Jesús fue presentado en el templo por sus padres.

"Aconteció que cuando todo el pueblo se bautizaba, también Jesús fue bautizado y, mientras oraba, el cielo se abrió y descendió el Espíritu Santo sobre él en forma corporal, como paloma; y vino una voz del cielo que decía: Tú eres mi Hijo amado; en ti tengo complacencia". Lucas 3.21, 22

Para ser bautizado en agua, tenemos que tener conocimiento de lo que estamos haciendo; por esa razón, un niño que no tiene conocimiento del bien y del mal no puede ser bautizado en aguas.

a. **¿Debemos bautizarnos los cristianos?** Sí.

¿Por qué debemos bautizarnos?

- Es un mandato de Dios.

    "Por tanto, id y haced discípulos a todas las naciones, bautizándolos en el nombre del Padre, del Hijo y del Espíritu Santo". Mateo 28.19

- Es una señal de aspirar a una buena conciencia.

- Porque Jesús fue bautizado.

    "Entonces Jesús vino de Galilea al Jordán, donde estaba Juan, para ser bautizado por él". Mateo 3.13

- Es una confesión externa de lo que ha pasado en nuestro corazón y una demostración de que rompemos con el pasado, el mundo y que no regresaremos atrás.

    "El que crea y sea bautizado, será salvo; pero el que no crea, será condenado". Marcos 16.16

b. **¿Cuándo debemos bautizarnos?**

Inmediatamente después de recibir al Señor. *Hechos 8.36-38*

c. ¿Dónde debemos bautizarnos?

En cualquier lugar, donde seamos totalmente sumergidos en agua.

d. ¿En nombre de quién debemos bautizarnos?

En el nombre del Padre, del Hijo y del Espíritu Santo.

"Por tanto, id y haced discípulos a todas las naciones, bautizándolos en el nombre del Padre, del Hijo y del Espíritu Santo". Mateo 28.19

3. ¿Qué sucede si hay algún área de mi vida en la que no me siento libre?

Usted necesita sanidad interior y liberación. (El hombre es un ser tripartito que está compuesto por tres partes: espíritu, alma y cuerpo).

¿Por qué? Porque su espíritu fue salvo, pero el alma necesita ser transformada.

"Que el mismo Dios de paz os santifique por completo; y todo vuestro ser —espíritu, alma y cuerpo— sea guardado irreprochable para la venida de nuestro Señor Jesucristo". 1 Tesalonicenses 5.23

¿Qué es el espíritu? Es el hombre interior donde fuimos hechos nueva criatura, es el medio por el cual nos comunicamos con Dios y donde viene a morar el Espíritu Santo.

"Lámpara de Jehová es el espíritu del hombre, la cual escudriña lo más profundo del corazón".
Proverbios 20.27

¿Qué es el alma? Es el asiento de la voluntad, de las emociones y de la mente del hombre. Ésta es la parte del creyente que no nace de nuevo, sino que necesita ser renovada y transformada.

"Por lo cual, desechando toda inmundicia y abundancia de malicia, recibid con mansedumbre la palabra implantada, la cual puede salvar vuestras almas".
Santiago 1.21

¿Qué debemos hacer con nuestra alma?

- **Renovarla** por medio de la palabra de Dios.

- **Transformarla.** *"Por lo tanto, hermanos, os ruego por las misericordias de Dios que presentéis vuestros cuerpos como sacrificio vivo, santo, agradable a Dios, que es vuestro verdadero culto. No os conforméis a este mundo, sino transformaos por medio de la renovación de vuestro entendimiento, para que comprobéis cuál es la buena voluntad de Dios, agradable y perfecta. Digo, pues, por la gracia que me es dada, a cada cual que está entre vosotros, que no tenga más alto concepto de sí que el que debe* *tener, sino que piense de sí con cordura, conforme a la medida de fe que Dios repartió a cada uno".* Romanos 12.1-3

Es en el alma, que necesitamos liberación y sanidad interior. La mente necesita ser renovada. Las emociones están heridas, producto de las experiencias traumáticas del pasado, tales como: abuso físico, sexual, abuso emocional, incesto, etcétera. Las emociones también necesitan ser renovadas dentro de nuestra alma.

Hay personas con problemas de rechazo, falta de perdón, amargura y odio, que necesitan que se les ayude a sanar su alma del dolor del pasado. Mi recomendación es que busquen ayuda; si usted tiene problemas de heridas emocionales, problemas de adicción como pornografía, drogas u otros problemas como maldiciones generacionales, recuerde que ya no está solo, todo se puede romper con el poder de Jesús.

4. **¿Hay otra experiencia después de haber recibido a Jesús y ser bautizado en aguas?**

Sí, hay otra experiencia llamada Bautismo con el Espíritu Santo, con la evidencia de hablar en otras lenguas.

¿Para qué es esta experiencia?

• Para recibir poder de lo alto.

"Cuando llegó el día de Pentecostés estaban todos unánimes juntos. De repente vino del cielo un estruendo como de un viento recio que soplaba, el cual llenó toda la casa donde estaban; y se les aparecieron lenguas repartidas, como de fuego, asentándose sobre cada uno de ellos. Todos fueron llenos del Espíritu Santo y comenzaron a hablar en otras lenguas, según el Espíritu les daba que hablaran". Hechos 2.1-4

¿Cómo se recibe el bautismo con el Espíritu Santo?

Por fe. De la misma manera que usted recibió la salvación, de esa misma manera recibe la llenura del Espíritu Santo con la evidencia de hablar en otras lenguas.

¿Para quién es el bautismo con el Espíritu Santo?

Para todo creyente.

"Estas señales seguirán a los que creen: En mi nombre echarán fuera demonios, hablarán nuevas lenguas". Marcos 16.17

¡Recíbalo por fe, ahora mismo!

¿Cuál es el propósito de recibir el bautismo con el Espíritu Santo?

• Recibir poder para testificar.

"...pero recibiréis poder cuando haya venido sobre vosotros el Espíritu Santo, y me seréis testigos en Jerusalén, en toda Judea, en Samaria y hasta lo último de la tierra". Hechos 1.8

- Nos imparte limpieza, santificación y transformación.

- Hace a Jesús y su palabra más real.

- Produce mayor edificación en la oración.

"De igual manera, el Espíritu nos ayuda en nuestra debilidad, pues qué hemos de pedir como conviene, no lo sabemos, pero el Espíritu mismo intercede por nosotros con gemidos indecibles". Romanos 8.26, 27

Conclusión

L a vida del cristiano es un caminar y una búsqueda constante de estar más cerca de su Creador, de tener una relación íntima con Jesús; es vivir apartados del pecado, santificándonos cada día para agradar a nuestro Señor. Debemos aprender a depender totalmente de Él y a no desmayar, porque en Él está nuestro galardón.

Desafortunadamente, hay muchas personas que empiezan la carrera, pero no la terminan. Jesús dijo: *"y el que persevere hasta el final será salvo"*. No permita que el enemigo le robe la Palabra; párese firme, use la autoridad y el poder que Dios le ha dado y siga hacia adelante. Dios nos mandó a esforzarnos y a ser valientes. En este camino, tendremos caídas, desprecio de la gente, traiciones, pero recuerde: Él ha vencido al mundo, por lo tanto, usted sólo ponga los ojos en Jesús. Él es el único que no falla; mientras mantengamos la mirada en Él, de seguro, llegaremos al final.

Puede que el camino le resulte arduo, y que algunas circunstancias parezcan no tener solución, pero es entonces, donde más cerca de Dios debe estar, pues Él es su fortaleza en tiempos de angustia, y en Él está su victoria. Él es Dios de imposibles. Todo lo malo o lo triste que ocurra en su vida, Él lo va a tornar en una herramienta de crecimiento para que usted llegue:

"...a la unidad de la fe y del conocimiento del Hijo de Dios, a un varón perfecto, a la medida de la estatura de la plenitud de Cristo". Efesios 4.13

Para que, al final, pueda decir:

"He peleado la buena (digna, honorable y noble) batalla, he acabado la carrera, he guardado (y mantenido firmemente) la fe. (Por lo demás), de aquí en adelante, ha sido preparada para mí la corona de justicia (la de los victoriosos), (por haber estado a bien con Dios y por haber hecho lo correcto) la cual, el Señor, juez justo, me dará; y me recompensará en aquel (gran) día, y no sólo a mí, sino también a todos aquellos que hayan amado, anhelado y recibido (su retorno)". 2 Timoteo 4.7, 8 (Biblia Amplificada)

Bibliografía

Biblia de Estudio Arco Iris. Versión Reina-Valera, Revisión 1960, Texto bíblico copyright© 1960, Sociedades Bíblicas en América Latina, Nashville, Tennessee, ISBN: 1-55819-555-6.

Biblia Plenitud. Versión Reina-Valera, Revisión 1960, ISBN: 089922279X, Editorial Caribe, Miami, Florida.

Diccionario Español a Inglés, Inglés a Español. Editorial Larousse S.A., impreso en Dinamarca, Núm. 81, México, ISBN: 2-03-420200-7, ISBN: 70-607-371-X, 1993.

El Pequeño Larousse Ilustrado. 2002 Spes Editorial, S.L. Barcelona; Ediciones Larousse, S.A. de C.V. México, D.F., ISBN: 970-22-0020-2.

Expanded Edition the Amplified Bible. Zondervan Bible Publishers. ISBN: 0-31095168-2, 1987 – Lockman Foundation, USA.

Reina-Valera 1995 - Edición de Estudio, (Estados Unidos de América: Sociedades Bíblicas Unidas) 1998.

Strong James, LL.D, S.T.D., *Concordancia Strong Exhaustiva de la Biblia,* Editorial Caribe, Inc., Thomas

Nelson, Inc., Publishers, Nashville, TN - Miami, FL, EE.UU., 2002. ISBN: 0-89922-382-6.

The New American Standard Version. Zordervan Publishing Company, ISBN: 0310903335.

The Tormont Webster's Illustrated Encyclopedic Dictionary. ©1990 Tormont Publications.

Vine, W.E. *Diccionario Expositivo de las Palabras del Antiguo Testamento y Nuevo Testamento.* Editorial Caribe, Inc./División Thomas Nelson, Inc., Nashville, TN, ISBN: 0-89922-495-4, 1999.

Ward, Lock A. *Nuevo Diccionario de la Biblia.* Editorial Unilit: Miami, Florida, ISBN: 0-7899-0217-6, 1999.

ERJ

Cómo Ser Libre de la Depresión

Guillermo Maldonado

Usted encontrará en este maravilloso libro, escrito a la luz de las Sagradas Escrituras, un verdadero manual práctico que le enseñará, paso a paso, cómo enfrentarse a la depresión y ser libre de ella para siempre.

ISBN: 1-59272-018-8 | 80 pp.

Fundamentos Bíblicos para el Nuevo Creyente

Guillermo Maldonado

Este libro guiará al nuevo creyente a la experiencia de un nuevo nacimiento, y lo animará a crecer en el Señor.

ISBN: 1-59272-005-6 | 90 pp.

El Perdón

Guillermo Maldonado

No hay persona que pueda escaparse de las ofensas, por lo que en algún momento de su vida, tendrá que enfrentarse con la decisión trascendental de perdonar o guardar una raíz de amargura en su corazón.

ISBN: 1-59272-033-1 | 76 pp.

ERJ PUBLICACIONES

La Unción Santa

Guillermo Maldonado

El gran éxito que han obtenido algunos líderes cristianos, se debe a que han decidido depender de la unción de Dios. En este libro, el pastor Guillermo Maldonado ofrece varios principios del Reino que harán que la unción de Dios aumente cada día en su vida y así obtenga grandes resultados.

ISBN: 1-59272-003-X
173 pp.

Descubra su Propósito y su Llamado en Dios

Guillermo Maldonado

Mediante este libro, se pretende capacitar al lector para que pueda hacerse "uno" con su llamado; y además, adiestrarlo en el proceso que lleva a un cristiano a posicionarse en el mismo centro de "el llamado" de Dios para su vida.

ISBN: 1-59272-037-4 | 222 pp.

La Familia Feliz

Guillermo Maldonado

Este libro se ha escrito con el propósito primordial de servir de ayuda, no sólo a las familias, sino también a cada persona que tiene en mente establecer una. Estamos seguros que en él, usted encontrará un verdadero tesoro que podrá aplicar en los diferentes ámbitos de su vida familiar.

ISBN: 1-59272-024-2 | 146 pp.

La Generación del Vino Nuevo

Guillermo Maldonado

En este libro, usted encontrará pautas que le ayudarán a enrolarse en la generación del Vino Nuevo, que es la generación que Dios está preparando para que, bajo la unción y el poder del Espíritu Santo, conquiste y arrebate lo que el enemigo nos ha robado durante siglos, y podamos aplastar toda obra de maldad.

ISBN: 1-59272-016-1 | 211 pp.

Líderes que Conquistan

Guillermo Maldonado

Es un libro que lo llevará a desafiar lo establecido, a no conformarse, a no dejarse detener por topes o limitaciones; de tal modo, que no sólo cambiará su vida, sino que será de inspiración y motivación para muchos que vendrán detrás de usted buscando cumplir su propio destino en Dios.

ISBN: 1-59272-022-6 | 208 pp.

Evangelismo Sobrenatural

Guillermo Maldonado

Solamente el dos por ciento de los cristianos han guiado una persona a Jesús en toda su vida. Por esa razón, el pastor Guillermo Maldonado, por medio de este libro, presenta a los creyentes el gran reto de hacer un compromiso con Dios de ser ganadores de almas, y cumplir con el mandato de Jesucristo para todo creyente.

ISBN: 1-59272-013-7
132 pp.

ERJ PUBLICACIONES

El Poder de Atar y Desatar

Guillermo Maldonado

Este libro tiene el propósito de transformar su vida espiritual, enfocándonos de forma directa, en el verdadero poder que tenemos en Cristo Jesús. El conocer esta realidad, le hará dueño de una llave del Reino que le permitirá abrir las puertas de todas las promesas de Dios; y al mismo tiempo, podrá deshacer todas las obras del enemigo.

ISBN: 1-59272-074-9
100 pp.

La Oración

Guillermo Maldonado

Por medio de este libro, podrá renovar su interés en la oración; pues éste le aclarará conceptos fundamentales, y le ayudará a iniciar o a mantener una vida de comunión constante con Dios.

No es un libro de fórmulas o pasos para la oración, sino que va más allá, guiándonos al verdadero significado de la oración.

ISBN: 1-59272-011-0
181 pp.

La Doctrina de Cristo

Guillermo Maldonado

Es imprescindible que cada cristiano conozca los principios bíblicos fundamentales, sobre los cuales descansa su creencia en Dios para que sus cimientos sean fuertes.

Este libro suministra enseñanzas prácticas acerca de los fundamentos básicos de la doctrina de Cristo, que traerán revelación a su vida sobre el tipo de vida que un cristiano debe vivir.

ISBN: 1-59272-019-6
136 pp.

ERJ

Cómo Volver al Primer Amor

Guillermo Maldonado

Este libro nos ayudará a reconocer qué es el primer amor con Dios y cómo mantenerlo, para que podamos obtener una relación genuina con nuestro Padre Celestial.

ISBN 1-59272-121-4 | 48 pp.

La Toalla del Servicio

Guillermo Maldonado

El propósito de este libro es que cada creyente conozca la importancia que tiene el servicio en el propósito de Dios para su vida, y que reciba la gran bendición que se adquiere al servir a otros. Aquí encontrará los fundamentos que le ayudarán a hacerlo con excelencia, tanto para Dios como para los que le rodean.

ISBN: 1-59272-100-1 | 76 pp.

El Carácter de un Líder

Guillermo Maldonado

Muchos ministerios han caído debido a la escasez de ministros íntegros y cristalinos en su manera de pensar, actuar y vivir. Han tenido que pagar las duras consecuencias de no haber lidiado a tiempo con los desbalances entre el carácter y el carisma. ¡Dios busca formar su carácter!

Si está dispuesto a que su carácter sea moldeado, este libro fue escrito para usted. ¡Acepte el reto hoy!

ISBN: 1-59272-120-6 64 pp.

ERJ PUBLICACIONES

Sanidad Interior y Liberación

Guillermo Maldonado

Este libro transformará su vida desde el comienzo hasta el fin. Pues, abrirá sus ojos para que pueda ver las áreas de su vida que el enemigo ha tenido cautivas en prisiones de falta de perdón, abuso, maldiciones generacionales, etcétera. Porque *"conoceréis la verdad y la verdad os hará libres"*.

ISBN: 1-59272-002-1
267 pp.

La Liberación: El pan de los hijos

Guillermo Maldonado

- ¿Cómo comenzó el ministerio de la liberación?
- ¿Qué es la autoliberación?
- ¿Qué es la iniquidad?
- ¿Cómo vencer el orgullo y la soberbia?
- ¿Cómo vencer la ira?
- ¿Cómo ser libre del miedo o temor?
- La inmoralidad sexual
- 19 verdades que exponen al mundo místico
- ¿Qué es la baja autoestima?

ISBN: 1-59272-086-2 | 299 pp.

La Inmoralidad Sexual

Guillermo Maldonado

De este tópico, casi no se habla en la iglesia ni en la familia; pero sabemos que hay una necesidad muy grande de que el pueblo de Dios tenga un nuevo despertar y comience a combatir este monstruo escondido que tanto afecta a los hijos de Dios. Este libro ofrece el conocimiento básico y fundamental para tratar con este problema.

ISBN: 1-59272-145-1 | 146 pp.

ERJ PUBLICACIONES

La Madurez Espiritual

Guillermo Maldonado

En esta obra, usted encontrará una nueva perspectiva de lo que significa la madurez espiritual, que lo orientará a identificar su comportamiento como hijo de Dios. Este material lo ayudará no sólo a visualizar los diferentes niveles de madurez que hay, sino también, a descubrir en cuál de ellos se encuentra para hacer los ajustes necesarios para ir a su próximo nivel de madurez.

ISBN: 1-59272-012-9
103 pp.

El Fruto del Espíritu

Guillermo Maldonado

En este libro, usted conocerá cuáles son y cómo se manifiestan los frutos del espíritu. Cada cristiano debe procurar estos frutos para su vida y atesorarlos de una manera especial. Pues, éstos son su testimonio al mundo de lo que Dios ha hecho en su vida, de manera que, cuando el hijo de Dios hable, el reflejo de su Padre acompañe sus palabras y éstas tengan un impacto mayor y más efectivo.

ISBN: 1-59272-184-2 | 170 pp.

Cómo Oír la Voz de Dios

Guillermo Maldonado

¿Desea aprender a oír la voz de Dios? Esta habilidad puede ser desarrollada en usted al aplicar las enseñanzas de este libro; no sólo para conocerlo cada vez más, sino también, para poder fluir en lo sobrenatural.

ISBN: 1-59272-015-3
190 pp.

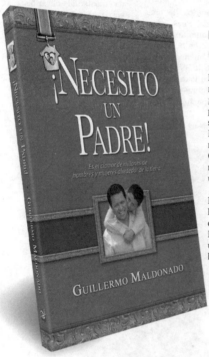

La pregunta que flota, hoy día, en el ambiente cristiano es:
¿Quién es y cómo se reconoce a un verdadero apóstol?
Para revelar esta incógnita, nace este libro,

EL MINISTERIO DEL APÓSTOL

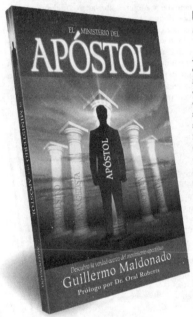

El Ministerio del Apostol
Guillermo Maldonado

A través de las páginas de esta obra, usted será adiestrado para reconocer las marcas, señales y características inherentes a un verdadero apóstol de Dios. Aprenderá sus características, funciones, señales y propósitos; cuál es la mentalidad apostólica, es decir, cómo piensa un verdadero apóstol; cómo es su corazón, cuál es su misión, cuáles son las herramientas que usa para edificar la iglesia, y mucho más.

ISBN: 1-59272-230-X I 180 pp.

La pastora Ana Maldonado nació en "La Joya", Santander, Colombia. Proviene de una familia numerosa, y es la octava de 16 hermanos. Actualmente, reside en la ciudad de Miami, Florida, con su esposo, el pastor Guillermo Maldonado, y sus hijos Bryan y Ronald. La pastora es una mujer de oración, usada fuertemente por Dios, en la Intercesión Profética, en la Guerra Espiritual y en el ministerio de Sanidad Interior y Liberación; pues su objetivo es deshacer las obras del enemigo y rescatar al cautivo. Constantemente, emprende retos y desafíos para restaurar familias, suplir las necesidades de niños de escasos recursos y mujeres abusadas, fundando comedores y casas de restauración. También, reta y levanta a los hombres para que tomen el lugar que les corresponde como sacerdotes del hogar y del ministerio. Es co-fundadora del Ministerio Internacional El Rey Jesús, reconocido como el ministerio hispano de mayor crecimiento en los Estados Unidos y de grandes manifestaciones del Espíritu Santo. Este ministerio nació en el año 1996, cuando ella y su esposo decidieron seguir el llamado de Dios en sus vidas. La pastora Ana Maldonado se dedica al estudio de la Palabra desde hace más de 20 años, y posee un Doctorado Honorario en Divinidad de "True Bible College".

De la Oración a la Guerra
por la pastora Ana G. Maldonado

Éste es un libro que está trayendo un alto nivel de confrontación al pueblo cristiano; un pueblo que ha permanecido en la comodidad y el engaño de creer que puede alcanzar las promesas de Dios sin pagar el precio de la oración y la intercesión. El lector se sentirá sacudido por el poderoso testimonio de esta mujer de Dios, que fue de hacer oraciones de súplica a convertirse en un general del ejército del Dios Todopoderoso. El lector se sentirá desafiado por una mujer y una madre que se levanta, día tras día, en oración y guerra espiritual contra el enemigo, para arrebatarle por la fuerza lo que pertenece a los hijos de Dios y a su Reino.

Es hora de que usted renuncie al temor a Satanás y acepte el desafío de usar la autoridad que Jesús le delegó para mantener al diablo bajo sus pies y para conquistar todos los terrenos que Dios ha preparado para su pueblo. ¡Anímese a pasar de la Oración a la Guerra!

ISBN: 1-59272-137-0 | p. 134

TE AMO

TE AMO

te amo
te amo